中国工程建设协会标准

自攻型锚栓应用技术规程

Technical specification for screw anchor

CECS 400：2015

主编单位：同　济　大　学
　　　　　浙江上锚建筑科技有限公司
批准单位：中国工程建设标准化协会
施行日期：2 0 1 5 年 9 月 1 日

中国计划出版社

2015　北　京

中国工程建设协会标准

自攻型锚栓应用技术规程

CECS 400：2015

☆

中国计划出版社出版

网址：www.jhpress.com

地址：北京市西城区木樨地北里甲11号国宏大厦C座3层

邮政编码：100038　电话：(010)63906433(发行部)

新华书店北京发行所发行

廊坊市海涛印刷有限公司印刷

850mm×1168mm　1/32　2印张　49千字

2015年8月第1版　2015年8月第1次印刷

印数 1－3080册

☆

统一书号：1580242·735

定价：24.00元

中国工程建设标准化协会公告

第 200 号

关于发布《自攻型锚栓应用技术规程》的公告

根据中国工程建设标准化协会《关于印发〈2012 年第二批工程建设协会标准制订、修订计划〉的通知》(建标协字〔2012〕127 号)的要求,由同济大学和浙江上锚建筑科技有限公司等单位编制的《自攻型锚栓应用技术规程》,经本协会建筑物鉴定与加固专业委员会组织审查,现批准发布,编号为 CECS 400：2015,自 2015 年 9 月 1 日起施行。

中国工程建设标准化协会

二〇一五年四月二十八日

前　言

根据中国工程建设标准化协会《关于印发〈2012年第二批工程建设协会标准制订、修订计划〉的通知》(建标协字〔2012〕127号)的要求,由同济大学和浙江上锚建筑科技有限公司会同有关单位经调查研究,认真总结经验,参考有关国际标准和国外先进标准,并在广泛征求意见的基础上制订完成。

本规程共分7章2个附录,主要内容包括:总则、术语和符号、材料、设计基本规定、锚栓承载力计算、构造措施、锚固施工及验收等。

本规程由中国工程建设标准化协会建筑物鉴定与加固专业委员会(CECS/TC22)负责管理,由同济大学负责具体技术内容的解释。执行本规程过程中如有意见或建议,请寄送解释单位(地址:上海市杨浦区四平路1239号,邮政编码:200092)。

主 编 单 位: 同济大学
浙江上锚建筑科技有限公司

参 编 单 位: 嘉善永大螺丝有限公司
喜利得(上海)有限公司
上海康驰建筑技术有限公司
同济大学建筑设计院(集团)有限公司
上海建筑科学研究院(集团)有限公司
法施达(上海)工程材料有限公司
中铁上海设计院集团有限公司
浙江省交通规划设计研究院

主要起草人: 吴善能　徐敏飞　熊朝晖　黎宇杰　蒋　宗
巢　斯　张晓光　胡克旭　郑玉庆　宗　鹏

秦　悦　茅兆祥　吴宝兴　李　厂　张京京

主要审查人： 梁　坦　朱　萱　任　忠　陆允上　陆耀忠

韩大章　程依祖

目　次

Contents

1 总 则

1.0.1 为使混凝土结构自攻型锚栓的设计和施工做到技术可靠、安全适用、经济合理、确保质量，制定本规程。

1.0.2 本规程适用于以钢筋混凝土、预应力混凝土以及素混凝土为基材的后锚固连接设计、施工及验收，不适用于以砌体、轻骨料混凝土为基材的后锚固连接。

1.0.3 采用自攻型锚栓连接的设计、施工及验收，除应符合本规程的规定外，尚应符合国家现行有关标准的规定。

2 术语和符号

2.1 术　　语

2.1.1 后锚固　post-installed fastening

通过相关技术手段在已有混凝土结构上的锚固。

2.1.2 自攻型锚栓　screw anchor

利用锚栓螺纹与混凝土之间的锁键作用形成锚固的后锚固件，分为普通自攻型锚栓和注胶自攻型锚栓。

2.1.3 基材　base material

承载锚栓的母体结构，本规程指混凝土构件。

2.1.4 群锚　anchor group

间距不超过临界间距，共同工作的同类型、同规格的多个锚栓。

2.1.5 混凝土锥体破坏　concrete cone failure

锚栓受拉时混凝土基材形成以锚栓为中心的倒锥体破坏形式。

2.2 符　　号

2.2.1 作用效应及承载力：

M——弯矩；

N——轴向力；

$N_{Rd,c}$——混凝土锥体破坏受拉承载力设计值；

$N_{Rd,s}$——锚栓钢材破坏受拉承载力设计值；

$N_{Rk,c}$——混凝土锥体破坏受拉承载力标准值；

$N_{Rk,s}$——锚栓钢材破坏受拉承载力标准值；

N_{sd}——拉力设计值；

N_{sd}^{g}——群锚受拉区总拉力设计值；

N_{sd}^{h}——群锚中拉力最大锚栓的拉力设计值；

R——承载力；

S——作用效应；

T——扭矩；

V——剪力；

$V_{Rd,c}$——混凝土边缘破坏受剪承载力设计值；

$V_{Rd,s}$——锚栓钢材破坏受剪承载力设计值；

$V_{Rk,c}$——混凝土边缘破坏受剪承载力标准值；

$V_{Rk,s}$——按锚栓钢材破坏确定的受剪承载力标准值；

V_{sd}——单一锚栓剪力设计值；

V_{sd}^{g}——群锚受剪锚栓总剪力设计值；

V_{sd}^{h}——群锚中剪力最大锚栓的剪力设计值。

2.2.2 材料强度：

$f_{cu,k}$——混凝土立方体抗压强度标准值；

f_{stk}——锚栓极限抗拉强度标准值；

f_{yk}——锚栓屈服强度标准值。

2.2.3 几何特征值：

$A_{c,N}$——混凝土实际锥体破坏投影面面积；

$A_{c,N}^{0}$——单根锚栓受拉，混凝土理想锥体破坏投影面面积；

$A_{c,V}$——混凝土实际边缘破坏在侧向的投影面面积；

$A_{c,V}^{0}$——单根锚栓受剪，混凝土理想边缘破坏在侧向的投影面面积；

A_{s}——锚栓应力段截面面积；

c——锚栓与混凝土基材边缘的距离；

$c_{cr,N}$——混凝土理想锥体受拉破坏的锚栓临界边距；

c_{min}——不发生安装造成的混凝土劈裂破坏的锚栓边距最小值；

D——锚栓螺杆外螺纹公称直径；

d——锚栓螺杆公称直径；

h——混凝土基材厚度；

h_{ef}——锚栓有效锚固深度；

h_{min}——按构造要求确定的最小锚固深度；

l_f——剪切荷载下，锚栓的有效长度；

s——锚栓之间的距离；

$s_{cr,N}$——混凝土理想锥体受拉破坏的锚栓临界间距；

s_{min}——不发生安装造成的混凝土劈裂破坏的锚栓间距最小值；

W_{el}——锚栓应力截面抵抗矩。

2.2.4 分项系数及计算系数：

k——地震作用下锚固承载力降低系数；

γ_0——锚固连接重要性系数；

$\gamma_{Rc,N}$——混凝土锥体破坏受拉承载力分项系数；

$\gamma_{Rc,V}$——混凝土边缘破坏受剪承载力分项系数；

$\gamma_{Rs,N}$——锚栓钢材破坏受拉承载力分项系数；

$\gamma_{Rs,V}$——锚栓钢材破坏受剪承载力分项系数；

$\Psi_{\alpha,V}$——剪力角度对受剪承载力的影响系数；

$\Psi_{ec,N}$——荷载偏心对受拉承载力的影响系数；

$\Psi_{ec,V}$——荷载偏心对受剪承载力的影响系数；

$\Psi_{h,V}$——边距与混凝土基材厚度比对受剪承载力的影响系数；

$\Psi_{h,sp}$——构件厚度 h 对劈裂破坏受拉承载力的影响系数；

$\Psi_{re,N}$——表层混凝土因密集配筋的剥离作用对受拉承载力的影响系数；

$\Psi_{re,V}$——锚固区配筋对受剪承载力的影响系数；

$\Psi_{s,N}$——边距对受拉承载力的影响系数；

$\Psi_{s,V}$——边距对受剪承载力的影响系数。

3 材　　料

3.1 混凝土基材

3.1.1 自攻型锚栓的锚固基材可为钢筋混凝土、预应力混凝土或素混凝土。

3.1.2 冻融受损混凝土、腐蚀受损混凝土、严重裂损混凝、疏松混凝土等，不应作为锚固基材。

3.1.3 基材混凝土强度等级不应低于C25，且不宜高于C60；安全等级为一级的后锚固连接，其基材混凝土强度等级不应低于C30。

3.1.4 对既有混凝土结构，基材混凝土立方体抗压强度标准值应按下列规定取值：

1 当原设计文件有效，且不怀疑结构有严重的性能退化时，可采用原设计的标准值；

2 当结构可靠性鉴定认为应重新进行现场检测时，应采用检测结果推定的标准值；

3 当原构件混凝土强度等级的检测受实际条件限制而无法取芯时，可采用回弹法检测，但其强度换算值应按现行国家标准《混凝土结构加固设计规范》GB 50367 的相关规定进行龄期修正。

3.2 锚 栓 材 料

3.2.1 自攻型锚栓的材质宜为碳素钢、合金钢、不锈钢或高抗腐不锈钢，应根据环境条件和耐久性要求选用。

3.2.2 自攻型锚栓用钢材的性能指标应符合表 3.2.2 规定。

表 3.2.2 自攻型锚栓用钢材力学性能指标

性能等级	7.8	8.8	9.8	10.9	12.9
极限抗拉强度标准值 f_{stk}(N/mm²)	700	800	900	1000	1200
屈服强度标准值 f_{yk}(N/mm²)	560	640	720	900	1080
锚栓弯曲度(°)	≥30				

注:1 性能等级 10.9 表示:$f_{stk}=1000MPa$;$f_{yk}/f_{stk}=0.9$;

2 当锚栓与外部连接件焊接连接时,锚栓的抗拉强度标准值应考虑 0.65 倍折减系数;

3 锚栓弯曲度测试应按现行国家标准《金属材料 弯曲试验方法》GB/T 232 的要求执行;

4 性能等级为 12.9 级的锚栓成品应根据现行国家标准《紧固件机械性能 检查氢脆用预载荷试验 平行支承面法》GB/T 3098.17 或其他有效氢脆试验方法进行测试,要求 100h 内不得出现氢脆破坏现象,其他性能等级锚栓成品可按照执行。

3.2.3 当自攻型锚栓需要与连接件焊接连接时,焊接材料的型号和质量应符合下列规定:

1 焊条型号应与被焊接钢材的焊接性能相适应;

2 焊条的质量应符合现行国家标准《非合金钢及细晶粒钢焊条》GB/T 5117 和《热强钢焊条》GB/T 5118 的规定;

3 焊接工艺应符合国家现行标准《钢结构焊接规范》GB 50661 和《钢筋焊接及验收规程》JGJ 18 的规定;

4 焊缝连接应按现行国家标准《钢结构设计规范》GB 50017 的规定进行设计计算。

3.2.4 自攻型锚栓的尺寸要求可按表 3.2.4 确定。

表 3.2.4 自攻型锚栓的尺寸要求 (mm)

规格	锚栓丝牙外径 D(mm)	锚栓直径 d(mm)
M6	8.00 ±0.15	5.30 ±0.10
M8	10.35 ±0.15	7.15 ±0.15
M10	12.35 ±0.15	9.15 ±0.15
M12	14.35 ±0.15	11.15 ±0.15

续表 3.2.4

规　　格	锚栓丝牙外径 D (mm)	锚栓直径 d (mm)
M14	16.35 ±0.15	13.15 ±0.15
M16	18.45 ±0.15	14.45 ±0.15
M20	22.55 ±0.15	18.35 ±0.15
M22	24.55 ±0.15	20.35 ±0.15
M24	26.55 ±0.15	22.35 ±0.15

3.3 锚固用胶粘剂

3.3.1 胶粘剂应采用专门配制的改性环氧类结构胶粘剂或改性乙烯基酯类结构胶粘剂，不得使用不饱和聚酯树脂作为胶粘剂。其安全性能必须符合现行国家标准《工程结构加固材料安全性鉴定技术规范》GB 50728 的规定。

3.3.2 注胶型锚栓采用的胶粘剂按其基本性能可分为 A 级胶和 B 级胶；对结构构件，应采用 A 级胶；对非结构构件可采用 A 级胶或 B 级胶。

3.3.3 结构用的胶粘剂，必须进行安全性能检验。检验时，其粘接抗剪强度标准值，应根据置信水平为 0.90、保证率为 95％的要求确定。

4 设计基本规定

4.0.1 自攻型锚栓的连接设计使用年限应与被连接结构的使用年限一致，并不宜少于30年。

4.0.2 根据连接破坏后果的严重程度，自攻型锚栓的连接设计应按表4.0.2的规定确定相应的安全等级，且不应低于被连接结构的安全等级。

表4.0.2 自攻型锚栓的锚固连接安全等级

安全等级	破坏后果	锚固类型
一级	很严重	重要的锚固
二级	严重	一般的锚固

4.0.3 当在抗震设防区承重结构中使用自攻型锚栓时，应采用注胶自攻型锚栓，且仅允许用于设防烈度不高于8度，且建于Ⅰ、Ⅱ、Ⅲ类场地的建筑物。

4.0.4 普通自攻型锚栓可用于非地震区的承重结构以及设防烈度不高于7度的非结构构件。

4.0.5 承重结构锚栓连接的设计计算，应采用开裂混凝土的假定；不得考虑非开裂混凝土对其承载力的提高作用。

4.0.6 未经技术鉴定和设计许可，不得改变后锚固连接的用途和使用环境。

4.0.7 锚栓连接承载力应按下列公式进行验算：

1 无地震作用组合：

$$\gamma_0 S \leqslant R_d \tag{4.0.7-1}$$

$$R_d = R_k / \gamma_R \tag{4.0.7-2}$$

2 有地震作用组合：

$$S \leqslant kR_d/\gamma_{RE} \quad (4.0.7\text{-}3)$$

式中：γ_0——锚固连接重要性系数，对一、二级锚固安全等级，应分别取不小于1.2、1.1，且不应小于被连接构件的重要性系数；

S——承载力极限状态下，锚固连接作用组合的效应设计值；对无地震作用应采用基本组合计算，对有地震作用应采用地震组合计算；

R_d——锚固承载力设计值；

R_k——锚固承载力标准值；

k——地震作用下锚固承载力降低系数，混凝土破坏时宜取0.7，钢材破坏时不予降低；抗剪破坏时应根据现行行业标准《混凝土用膨胀型、扩底型锚栓》JG 160的试验方法确定；

γ_{RE}——锚固承载力抗震调整系数，取1.0；

γ_R——锚固承载力分项系数，按本规程第4.0.9条取用。

4.0.8 自攻型锚栓受力分析可按本规程附录A的规定进行。

4.0.9 混凝土结构后锚固连接承载力分项系数γ_R，应根据锚固连接破坏类型及被连接结构类型的不同按表4.0.9采用。

表4.0.9 锚固承载力分项系数γ_R

符号	锚固破坏类型	结构构件	非结构构件
$\gamma_{Rc,N}$	混凝土锥体受拉破坏	3.0	1.8
$\gamma_{Rc,V}$	混凝土边缘受剪破坏	2.5	1.5
$\gamma_{Rs,N}$	锚栓钢材受拉破坏	1.3	1.2
$\gamma_{Rs,V}$	锚栓钢材受剪破坏	1.3	1.2

4.0.10 基材混凝土的承载力验算，应考虑三种破坏模式：混凝土呈锥形受拉破坏（图4.0.10-1）、混凝土边缘呈楔形受剪破坏（图4.0.10-2）以及同时受拉、剪作用破坏。对混凝土剪撬破坏（图4.0.10-3）、混凝土劈裂破坏，以及锚栓的组合破坏，应通过采取构

造措施予以防止,不参与验算。

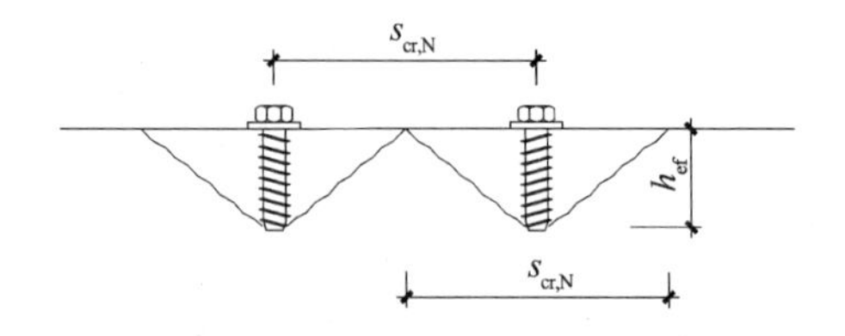

图 4.0.10-1　混凝土呈锥形受拉破坏

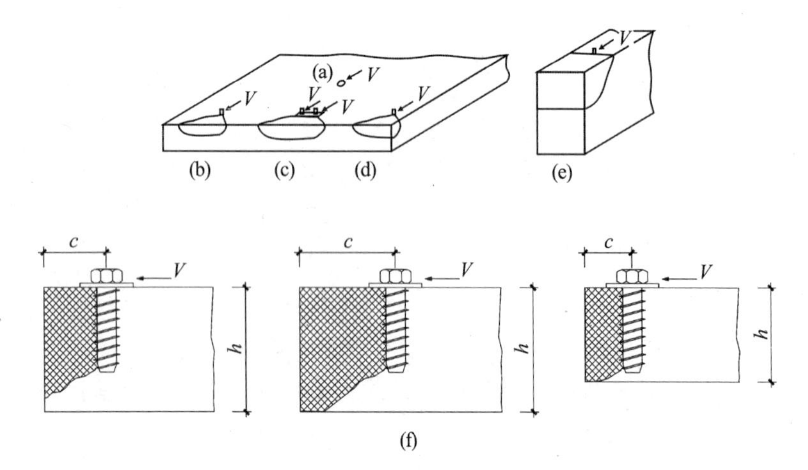

图 4.0.10-2　混凝土边缘呈楔形受剪破坏

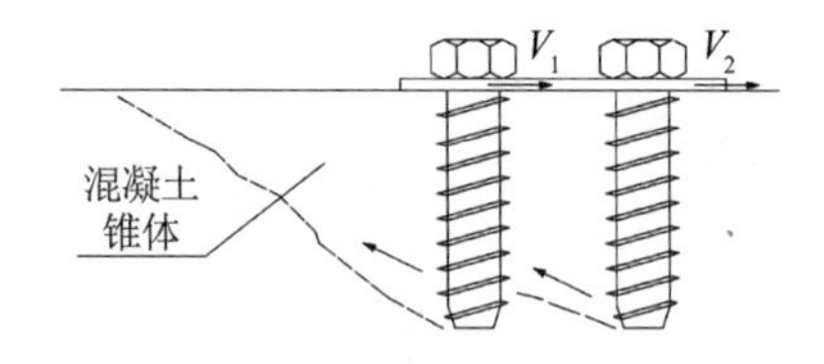

图 4.0.10-3　混凝土剪撬破坏

5 锚栓承载力计算

5.1 受拉承载力计算

5.1.1 锚栓受拉承载力应符合下列规定：

1 单锚：

$$N_{sd} \leqslant N_{Rd,s} \quad (5.1.1\text{-}1)$$

$$N_{sd} \leqslant N_{Rd,c} \quad (5.1.1\text{-}2)$$

2 群锚：

$$N_{sd}^{h} \leqslant N_{Rd,s} \quad (5.1.1\text{-}3)$$

$$N_{sd}^{g} \leqslant N_{Rd,c} \quad (5.1.1\text{-}4)$$

式中：N_{sd}——单锚拉力设计值(N)；

$N_{Rd,s}$——锚栓钢材破坏受拉承载力设计值(N)；

$N_{Rd,c}$——混凝土锥体破坏受拉承载力设计值(N)；

N_{sd}^{h}——群锚中拉力最大锚栓的拉力设计值(N)；

N_{sd}^{g}——群锚受拉区总拉力设计值(N)。

5.1.2 锚栓钢材破坏受拉承载力设计值 $N_{Rd,s}$ 应按下列公式计算：

$$N_{Rd,s} = N_{Rk,s}/\gamma_{Rs,N} \quad (5.1.2\text{-}1)$$

$$N_{Rk,s} = A_s f_{yk} \quad (5.1.2\text{-}2)$$

式中：$N_{Rk,s}$——锚栓钢材破坏时的受拉承载力标准值(N)；

$\gamma_{Rs,N}$——锚栓钢材破坏时的受拉承载力分项系数，按本规程表 4.0.9 采用；

A_s——锚栓应力段截面面积(mm^2)；

f_{yk}——锚栓屈服强度标准值(N/mm^2)。

5.1.3 混凝土锥体受拉破坏时的受拉承载力设计值 $N_{Rd,c}$ 应按下列公式计算：

$$N_{Rd,c}=N_{Rk,c}/\gamma_{Rc,N} \quad (5.1.3\text{-}1)$$

$$N_{Rk,c}=N_{Rk,c}^{0}\frac{A_{c,N}}{A_{c,N}^{0}}\Psi_{s,N}\Psi_{re,N}\Psi_{ec,N} \quad (5.1.3\text{-}2)$$

式中：$N_{Rk,c}$——混凝土锥体破坏受拉承载力标准值(N)；

$\gamma_{Rc,N}$——混凝土锥体破坏受拉承载力分项系数，按本规程表 4.0.9 采用；

$N_{Rk,c}^{0}$——单锚受拉时，混凝土理想锥体破坏时的受拉承载力标准值，按本规程第 5.1.4 条规定计算；

$A_{c,N}^{0}$——单根锚栓受拉且无间距、边距影响时，混凝土理想锥体破坏投影面面积，按本规程第 5.1.5 条规定计算；

$A_{c,N}$——单根锚栓或群锚受拉时，混凝土实际锥体破坏投影面面积，按本规程第 5.1.6 条有关规定计算；

$\Psi_{s,N}$——边距 c 对受拉承载力的影响系数，按本规程第 5.1.7条规定计算；

$\Psi_{re,N}$——表层混凝土因密集配筋的剥离作用对受拉承载力的影响系数，按本规程第 5.1.8 条规定计算；

$\Psi_{ec,N}$——荷载偏心 e_N 对受拉承载力的影响系数，按本规程第 5.1.9 条规定计算。

5.1.4 单锚在理想混凝土锥体破坏情况下受拉承载力标准值 $N_{Rk,c}^{0}$ 可按下列公式计算：

普通自攻型锚栓：

$$N_{Rk,c}^{0}=6.3\sqrt{f_{cu,k}}h_{ef}^{1.5} \quad (5.1.4\text{-}1)$$

$$h_{ef}=0.85(h_{nom}-0.5h_{t}-h_{s}) \quad (5.1.4\text{-}2)$$

注胶自攻型锚栓：

$$N_{Rk,c}^{0}=7.0\sqrt{f_{cu,k}}h_{nom}^{1.5} \quad (5.1.4\text{-}3)$$

对于非结构构件，按公式(5.1.4-1)或公式(5.1.4-3)的计算结果可以提高 1.4 倍。

式中：$f_{cu,k}$——混凝土立方体抗压强度标准值(N/mm^2)，当 $f_{cu,k}$ = (45～60)N/mm^2 时，应乘以降低系数 0.95；

h_{nom}——锚栓锚固深度(mm)；

h_{ef}——锚栓有效锚固深度(mm)(图 5.1.4)；

h_t——锚栓的相邻两个螺纹的间距；

h_s——锚栓端部到螺纹起始端的距离。

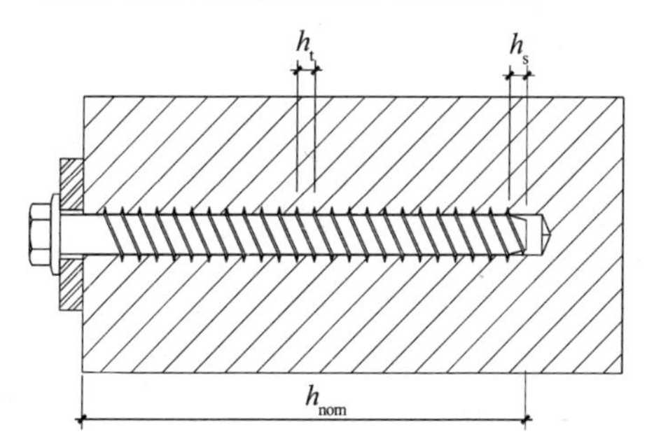

图 5.1.4 自攻型锚栓有效锚固深度的影响因素

5.1.5 单锚受拉时混凝土理想化破坏锥体投影面面积 $A^0_{c,N}$(图 5.1.5)应按下式计算：

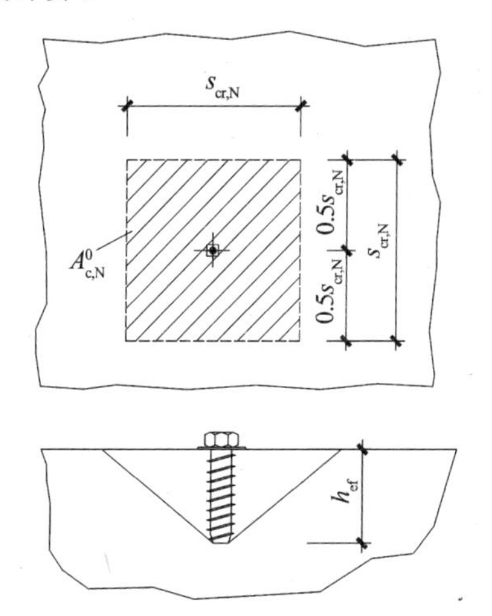

图 5.1.5 单锚混凝土锥形破坏理想锥体投影面积

$$A_{c,N}^{0} = s_{cr,N}^{2} \tag{5.1.5}$$

式中：$s_{cr,N}$——混凝土锥体破坏且无间距效应和边缘效应情况下，每根锚栓达到受拉承载力标准值的临界间距。对于普通自攻型锚栓，$s_{cr,N}$取 $2h_{ef}$和 $16d$ 的较大值，对于注胶自攻型锚栓，$s_{cr,N}$取 $3h_{ef}$和 $20d$ 的较大值。

5.1.6 单锚或群锚受拉时，混凝土实际锥体破坏投影面面积 $A_{c,N}^{0}$，应根据锚栓排列布置情况，分别按下列公式计算：

1 单栓，靠近构件边缘布置，$c_1 \leqslant c_{cr,N}$时(图 5.1.6-1)。

$$A_{c,N} = (c_1 + 0.5s_{cr,N})s_{cr,N} \tag{5.1.6-1}$$

2 双栓，垂直于构件边缘布置，且 $c_1 \leqslant c_{cr,N}$，$s_1 \leqslant s_{cr,N}$时（图 5.1.6-2）。

$$A_{c,N} = (c_1 + s_1 + 0.5s_{cr,N})s_{cr,N} \tag{5.1.6-2}$$

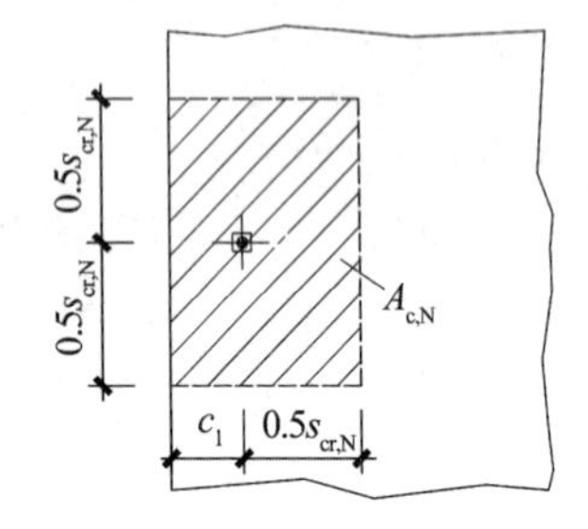

图 5.1.6-1　单栓受拉，靠近构件边缘时的计算面积

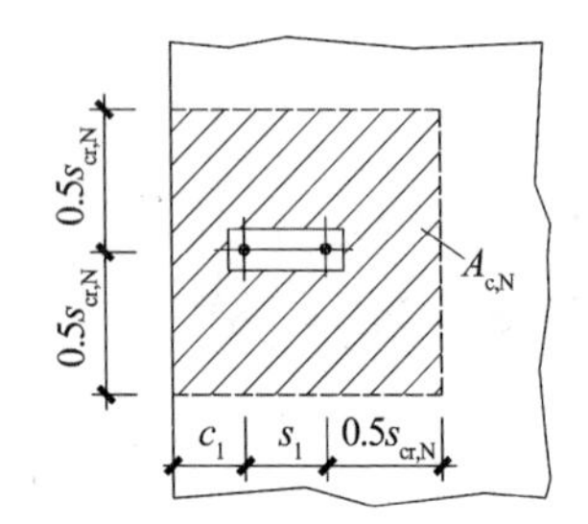

图 5.1.6-2　双栓受拉，垂直于构件边缘时的计算面积

3 双栓，平行于构件边缘布置，且 $c_2 \leqslant c_{cr,N}$，$s_1 \leqslant s_{cr,N}$时（图 5.1.6-3）。

$$A_{c,N} = (c_2 + 0.5s_{cr,N})(s_1 + s_{cr,N}) \tag{5.1.6-3}$$

4 四栓，位于构件角部，且 $c_1 \leqslant c_{cr,N}$，$c_2 \leqslant c_{cr,N}$，$s_1 \leqslant s_{cr,N}$，$s_2 \leqslant s_{cr,N}$时，(图 5.1.6-4)。

$$A_{c,N} = (c_1 + s_1 + 0.5s_{cr,N})(c_2 + s_2 + 0.5s_{cr,N}) \tag{5.1.6-4}$$

式中：c_1、c_2——方向 1 及方向 2 的边距（mm）；

s_1、s_2——方向 1 及方向 2 的间距（mm）；

$c_{cr,N}$——混凝土锥体破坏且无间距效应及边缘效应情况下，每根锚定螺栓达到受拉承载力标准值的临界边距，对于普通自攻型锚栓取 $c_{cr,N}=1.0h_{nom}$ 和 $c_{cr,N}=8d$ 的较大值，对注胶型自攻型锚栓取 $c_{cr,N}=1.5h_{nom}$ 和 $c_{cr,N}=10d$ 的较大值。

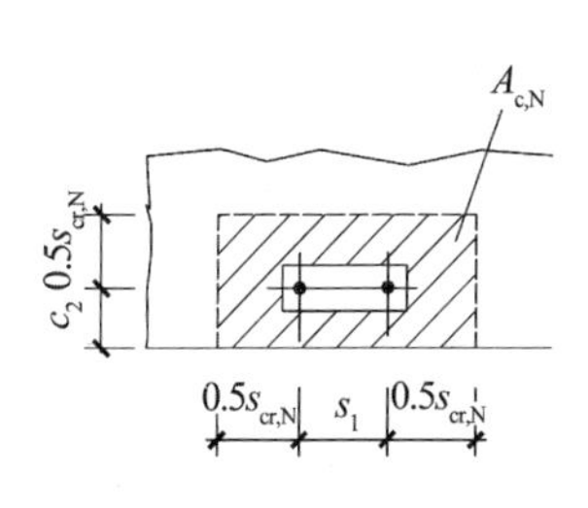

图 5.1.6-3　双栓受拉，平行于构件边缘时的计算面积

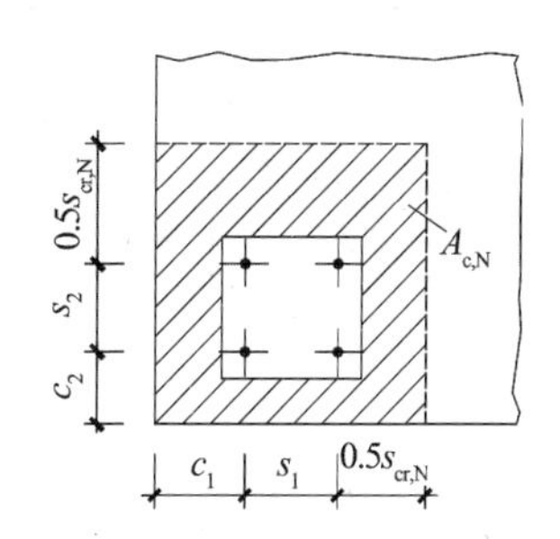

图 5.1.6-4　四栓受拉，位于构件角部的计算面积

5.1.7　边距 c 对受拉承载力影响系数 $\Psi_{s,N}$ 应按下式计算：

$$\Psi_{s,N}=0.7+0.3\frac{c}{c_{cr,N}} \qquad (5.1.7)$$

当 $\Psi_{s,N}$ 的值大于 1.0 时，应取 1.0。

式中：c——边距（mm），当有多个边距时应取最小值。$c_{min}\leqslant c\leqslant c_{cr,N}$，$c_{min}$ 按本规程第 6.0.2 条规定采用。

5.1.8　表层混凝土因密集配筋的剥离作用对受拉承载力的影响系数 $\Psi_{re,N}$ 应按下式计算。

$$\Psi_{re,N}=0.5+\frac{h_{ef}}{200} \qquad (5.1.8)$$

当 $\Psi_{re,N}$ 的计算值大于 1.0 时，应取 1.0；当锚固区钢筋间距 $s\geqslant 150$mm 时，或钢筋直径 $d\leqslant 10$mm 且 $s\geqslant 100$mm 时，$\Psi_{re,N}$ 应取 1.0。

5.1.9 荷载偏心对受拉承载力的降低影响系数 $\Psi_{ec,N}$ 应按下式计算：

$$\Psi_{ec,N} = \frac{1}{1 + 2e_N / s_{cr,N}} \tag{5.1.9}$$

当 $\Psi_{ec,N}$ 的计算值大于 1.0 时，应取 1.0；当为双向偏心，应分别按两个方向计算，取 $\Psi_{ec,N} = \Psi_{(ec,N)1} \cdot \Psi_{(ec,N)2}$。

式中：e_N——受拉锚栓合力点相对于群锚受拉锚栓重心的偏心距（mm）。

5.1.10 群锚有三个及以上边缘且锚定螺栓的最大边距 c_{max} 不大于 $c_{cr,N}$（图 5.1.10），计算混凝土锥体受拉破坏的受拉承载力设计值 $N_{Rd,c}$ 时，应取 h'_{ef} 代替 h_{ef}、$s'_{cr,N}$ 代替 $s_{cr,N}$、$c'_{cr,N}$ 代替 $c_{cr,N}$ 用于计算 $s^0_{Rk,c}$、$A^0_{c,N}$、$A_{c,N}$、$\Psi_{s,N}$ 及 $\Psi_{ec,N}$。h'_{ef} 应为 $\frac{c_{max}}{c_{cr,N}} h_{ef}$ 和 $\frac{s_{max}}{s_{cr,N}} h_{ef}$ 中的较大值，$s'_{cr,N}$ 应为 $\frac{h'_{ef}}{h_{ef}} s_{cr,N}$，$c_{cr,N}$ 应为 $0.5s'_{cr,N}$。

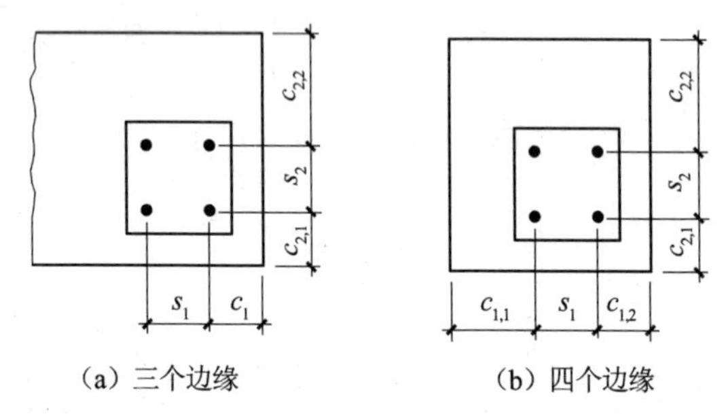

图 5.1.10 有多个边缘影响的群锚示意

5.2 受剪承载力计算

5.2.1 锚栓受剪承载力应符合下列规定：

1 单锚：

$$V_{sd} \leqslant V_{Rd,s} \tag{5.2.1-1}$$

$$V_{sd} \leqslant V_{Rd,c} \tag{5.2.1-2}$$

2 群锚：

$$V_{sd}^{h} \leqslant V_{Rd,s} \tag{5.2.1-3}$$

$$V_{sd}^{g} \leqslant V_{Rd,c} \tag{5.2.1-4}$$

式中：V_{sd}——单一锚栓剪力设计值(N)；

$V_{Rd,s}$——锚栓钢材破坏受剪承载力设计值(N)；

$V_{Rd,c}$——混凝土楔形体破坏时的受剪承载力设计值(N)；

V_{sd}^{h}——群锚中剪力最大锚栓的剪力设计值(N)；

V_{sd}^{g}——群锚总剪力设计值(N)。

5.2.2 普通型锚栓或注胶型锚栓钢材破坏时的受剪承载力设计值 $V_{Rd,s}$应按下式计算：

$$V_{Rd,s} = V_{Rk,s}/\gamma_{Rs,V} \tag{5.2.2-1}$$

式中：$V_{Rk,s}$——锚栓钢材破坏时的受剪承载力标准值，应按公式(5.2.2-2)或公式(5.2.2-3)、公式(5.2.2-4)计算确定；对于群锚，锚栓钢材断后伸长率不大于8%时，$V_{Rk,s}$应乘以0.8的降低系数；

$\gamma_{Rs,V}$——锚栓钢材破坏时的受剪承载力分项系数，$\gamma_{Rs,V}$按本规程表4.0.9采用。

1 无杠杆臂的纯剪，$V_{Rk,s}$按下式计算：

$$V_{Rk,s} = 0.5A_s f_{yk} \tag{5.2.2-2}$$

式中：f_{yk}——锚栓屈服强度标准值，按本规程表3.2.2采用；

A_s——锚栓应力段截面面积较小值。

2 有杠杆臂的拉、剪复合受力，$V_{Rk,s}$应取按下列公式计算的 $V_{Rk,s1}$和 $V_{Rk,s2}$的较小值：

$$V_{Rk,s1} = 0.5A_s f_{yk} \tag{5.2.2-3}$$

$$V_{Rk,s2} = \alpha_M M_{Rk,s}/l_0 \tag{5.2.2-4}$$

$$M_{Rk,s} = M_{Rk,s}^{0}(1 - N_{sd}/N_{Rd,s}) \tag{5.2.2-5}$$

$$M_{Rk,s}^{0} = 1.2W_{el} f_{stk} \tag{5.2.2-6}$$

式中：l_0——杠杆臂计算长度，当用垫圈和螺母压紧在混凝土基面上时[图5.2.2-1(a)]，$l_0=l$，无压紧时[图5.2.2-1(b)]，

$l_0 = l + 0.5d$；

α_M——被连接件约束系数，无约束时［图 5.2.2-2(a)］α_M 取 1，有约束时［图 5.2.2-2(b)］α_M 取 2；部分约束时，依据约束刚度取值；

$M^0_{Rk,s}$——单根锚栓抗弯承载力标准值(N·mm)；

N_{sd}——单根锚栓拉力设计值(N)；

$N_{Rd,s}$——单根锚栓钢材破坏受拉承载力设计值(N)；

W_{el}——锚栓截面抵抗矩(mm^3)。

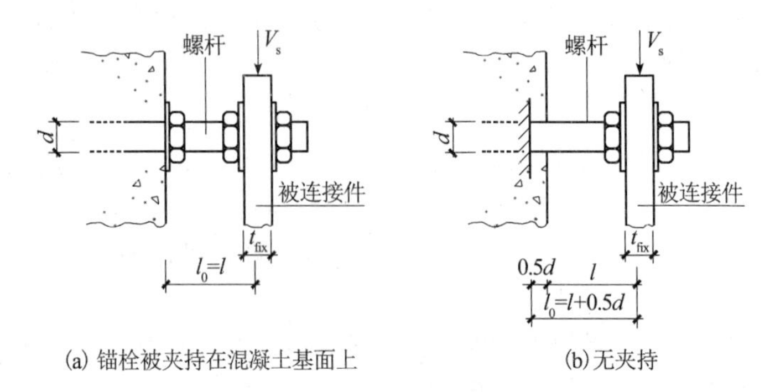

图 5.2.2-1　杠杆臂计算长度

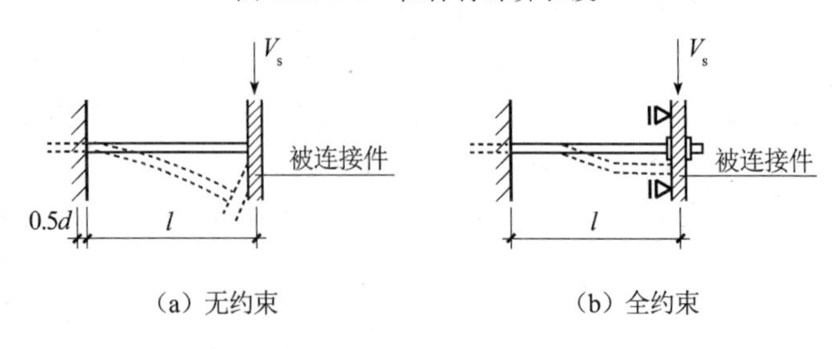

图 5.2.2-2　约束状况

3　满足下列条件时，作用于锚定螺栓上的剪力可按无杠杆臂的纯剪计算：

1）锚板为钢材，直接固定于基材上，锚板与基材间无垫层；锚板与基材间有砂浆垫层时，垫层厚度小于 $d/2$，砂浆抗压强度不低于 30N/mm^2；

2）在锚板厚度范围内，锚板与锚栓全接触。

5.2.3 锚栓边距 c 不大于 $5h_{ef}$ 或 c 不大于 $30d$ 时，混凝土边缘破坏受剪承载力设计值 $V_{Rd,c}$ 应按下列公式计算：

$$V_{Rd,c} = V_{Rk,c}/\gamma_{Rc,V} \tag{5.2.3-1}$$

$$V_{Rk,c} = V^0_{Rk,c}\frac{A_{c,V}}{A^0_{c,V}}\Psi_{s,V}\Psi_{h,V}\Psi_{\alpha,V}\Psi_{re,V}\Psi_{ec,V} \tag{5.2.3-2}$$

式中：$V_{Rk,c}$——混凝土边缘破坏受剪承载力标准值(N)；

$\gamma_{Rc,V}$——混凝土边缘破坏受剪承载力分项系数，$\gamma_{Rc,V}$ 按本规程表 4.0.9 采用；

$V^0_{Rk,c}$——单根锚栓垂直构件边缘受剪时，混凝土理想边缘破坏时的受剪承载力标准值(N)，按本规程第 5.2.4 条规定计算；

$A^0_{c,V}$——单根锚栓受剪，在无平行剪力方向的边界影响、构件厚度影响或相邻锚栓影响，混凝土理想边缘破坏在侧向的投影面面积(mm^2)，按本规程第 5.2.5 条规定计算；

$A_{c,V}$——单根锚栓或群锚受剪时，混凝土实际边缘破坏在侧向的投影面面积(mm^2)，按本规程第 5.2.6 条规定计算；

$\Psi_{s,V}$——边距比 c_2/c_1 对受剪承载力的影响系数，按本规程第 5.2.7 条规定计算；

$\Psi_{h,V}$——边距与厚度比 c_1/h 对受剪承载力的影响系数，按本规程第 5.2.8 条规定计算；

$\Psi_{\alpha,V}$——剪力角度对受剪承载力的影响系数，按本规程第 5.2.9 条规定计算；

$\Psi_{ec,V}$——荷载偏心 e_v 对群锚受剪承载力的降低影响系数，按本规程第 5.2.10 条规定计算；

$\Psi_{re,V}$——锚固区配筋对受剪承载力的影响系数，按本规程第

5.2.11 条的规定取用。

5.2.4 单根锚栓垂直于构件边缘受剪时，混凝土理想边缘破坏的受剪承载力标准值 $V^0_{\mathrm{Rk,c}}$ 应根据锚定螺栓的认证报告确定；无认证报告时，在符合产品标准及本规程有关规定的情况下，可按下列公式计算：

$$V^0_{\mathrm{Rk,c}} = 1.3 d^{\alpha} h_{\mathrm{ef}}^{\beta} \sqrt{f_{\mathrm{cu,k}}} c_1^{1.5} \tag{5.2.4-1}$$

$$\alpha = 0.1 (l_{\mathrm{f}}/c_1)^{0.5} \tag{5.2.4-2}$$

$$\beta = 0.1 (d/c_1)^{0.2} \tag{5.2.4-3}$$

式中：d——锚栓螺杆公称直径(mm)；

α——系数；

β——系数；

l_{f}——剪切荷载下锚栓的有效长度(mm)，可取 $l_{\mathrm{f}} \leqslant h_{\mathrm{ef}}$ 且 $l_{\mathrm{f}} \leqslant 8d$；

$f_{\mathrm{cu,k}}$——混凝土立方体抗压强度标准值(N/mm²)，当 $f_{\mathrm{cu,k}}$ 为 (45～60)MPa 时，应乘以降低系数 0.95。

5.2.5 单根锚栓受剪，在无平行剪力方向的边界影响、构件厚度影响或相邻锚定螺栓影响，混凝土破坏楔形体在侧向的投影面面积 $A^0_{\mathrm{c,V}}$(图 5.2.5)，应按下式计算：

$$A^0_{\mathrm{c,V}} = 4.5 c_1^2 \tag{5.2.5}$$

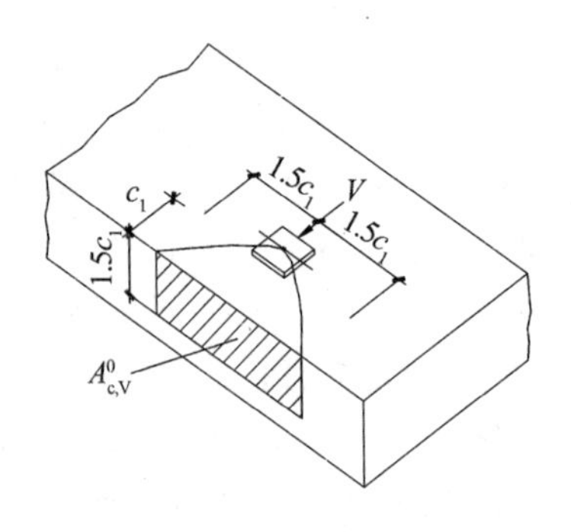

图 5.2.5 混凝土理想边缘破坏投影面积示意

5.2.6 群锚受剪，混凝土破坏楔形体在侧面的投影面面积 $A_{c,V}$，应按下列公式计算：

1 单栓，位于构件角部，且 $h>1.5c_1$，$c_2\leqslant1.5c_1$ 时（图 5.2.6-1）。

$$A_{c,V}=1.5c_1(1.5c_1+c_2) \tag{5.2.6-1}$$

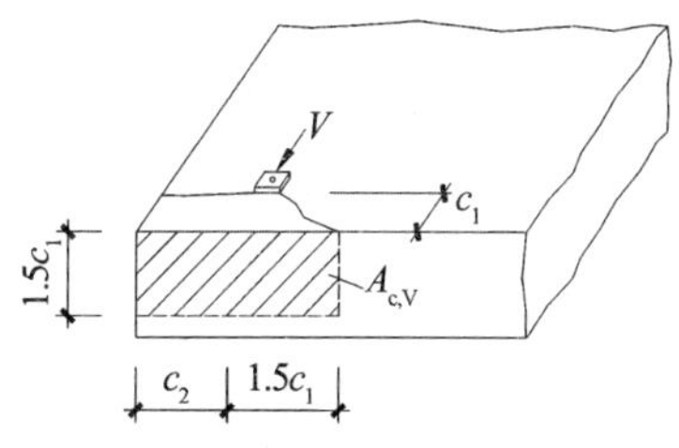

图 5.2.6-1 单栓受剪，位于构件角部示意

2 双栓，位于构件边缘，厚度较小，且 $h\leqslant1.5c_1$，$s_2\leqslant3c_1$ 时（图 5.2.6-2）。

$$A_{c,V}=(3c_1+s_2)h \tag{5.2.6-2}$$

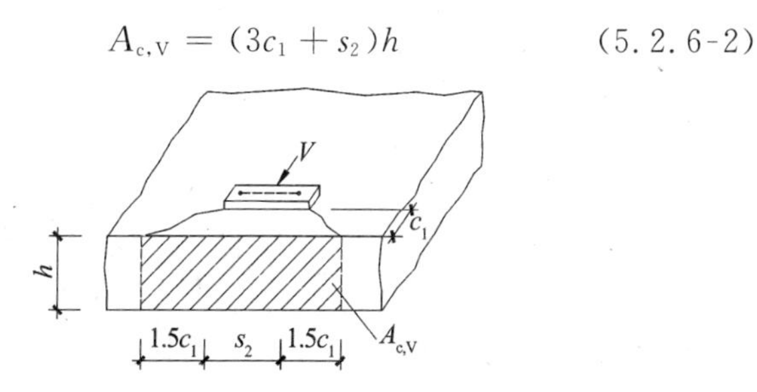

图 5.2.6-2 双栓受剪，位于构件边缘示意

3 四栓，位于构件角部，厚度较小，且 $h\leqslant1.5c_1$，$s_2\leqslant3c_1$，$c_2\leqslant1.5c_1$（图 5.2.6-3）。

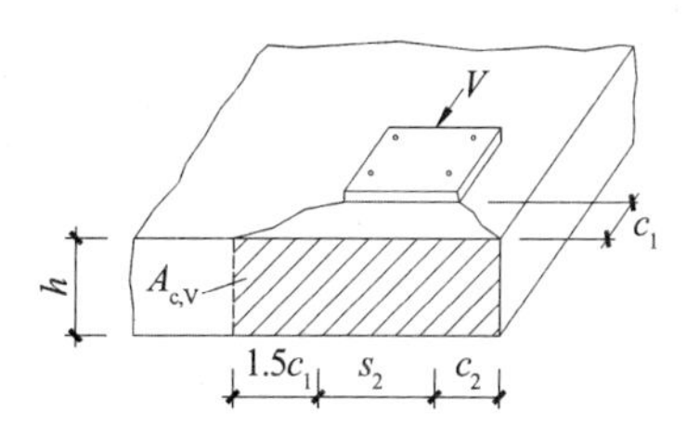

图 5.2.6-3 四栓受剪，位于构件角部示意

$$A_{c,V}=(1.5c_1+s_2+c_2)h \tag{5.2.6-3}$$

5.2.7 边距比 c_2/c_1 对受剪承载力的降低影响系数 $\Psi_{s,V}$，应按下式计算：

$$\Psi_{s,V}=0.7+0.3\frac{c_2}{1.5c_1} \tag{5.2.7}$$

当 $\Psi_{s,V}$ 的计算值大于 1.0 时，应取 1.0。

5.2.8 边距与构件厚度比 c_1/h 对受剪承载力的提高影响系数 $\Psi_{h,V}$，应按下式计算：

$$\Psi_{h,V}=\left(\frac{1.5c_1}{h}\right)^{1/2} \tag{5.2.8}$$

当 $\Psi_{h,V}$ 的计算值小于 1.0 时，应取 1.0。

5.2.9 剪力与垂直于构件自由边方向轴线之夹角 α_V（图 5.2.9）对受剪承载力的影响系数 $\Psi_{\alpha,V}$，应按下式计算：

$$\Psi_{\alpha,V}=\sqrt{\frac{1}{(\cos\alpha_V)^2+\left(\frac{\sin\alpha_V}{2.5}\right)^2}} \tag{5.2.9}$$

式中：α_V——剪力与垂直于构件自由边方向轴线之夹角，α_V 不大于 90°。当 α_V 大于 90°时，只计算平行于边缘的剪力分量，背离混凝土基材边缘的剪力分量可不计算。

当 $\Psi_{\alpha,V}$ 的计算值小于 1.0 时，应取 1.0。

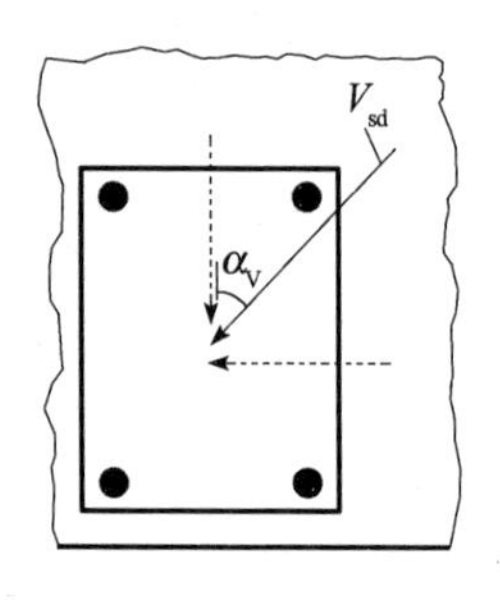

图 5.2.9 剪力角 α

5.2.10 荷载偏心对群锚受剪承载力的降低影响系数 $\Psi_{ec,V}$，应按下式计算：

$$\Psi_{ec,V}=\frac{1}{1+2e_V/3c_1} \tag{5.2.10}$$

式中：e_V——剪力合力点至受剪自攻型锚栓重心的距离(mm)。

当 $\Psi_{ec,V}$ 的值大于1.0时，应取1.0。

5.2.11 锚固区配筋对受剪承载力的提高影响系数 $\Psi_{re,V}$，应按下列规定采用：

1 当边缘为无筋或少筋的混凝土时，$\Psi_{re,V}$ 取1.0；

2 边缘配有直径不小于12mm纵筋的混凝土，$\Psi_{re,V}$ 取1.2；

3 边缘配有直径不小于12mm纵筋及间距不大于100mm箍筋的混凝土，$\Psi_{re,V}$ 取1.4。

5.2.12 位于角部的群锚，应分别计算两个边缘的受剪承载力设计值，并应取两者中的较小值作为群锚的边缘受剪承载力设计值。

5.2.13 计算锚栓边缘受剪承载力，后锚固基材厚度 h 小于 $1.5c_1$ 且平行于剪力作用方向的锚栓边距 $c_{2,1}$ 不大于 $1.5c_1$、$c_{2,2}$ 不大于 $1.5c_1$ 时(图5.2.13)，应分别用 c_1 代替相应公式中的 c_1 计算 $V^0_{Rk,c}$、$A^0_{c,V}$、$A_{c,V}$、$\Psi_{s,V}$ 和 $\Psi_{h,V}$ 值，c_1 取 $c_{2,1}/1.5$、$c_{2,2}/1.5$、$h/1.5$ 及 $s_{2,max}/3$ 的最大值。

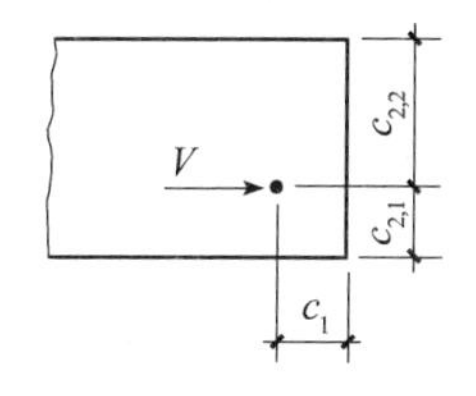

图5.2.13 有多个边缘影响的锚栓示意

5.3 拉剪复合受力承载力计算

5.3.1 弹性设计时，拉剪复合受力下钢材破坏时的承载力，应按下列公式验算：

$$\left(\frac{N_{sd}}{N_{Rd,s}}\right)^2+\left(\frac{V_{sd}}{V_{Rd,s}}\right)^2\leqslant 1 \tag{5.3.1-1}$$

$$N_{Rd,s}=N_{Rk,s}/\gamma_{Rs,N} \tag{5.3.1-2}$$

$$V_{Rd,s}=V_{Rk,s}/\gamma_{Rs,V} \tag{5.3.1-3}$$

式中：N_{sd}——锚栓拉力设计值；

$N_{Rd,s}$——锚栓钢材破坏受拉承载力设计值；

V_{sd}——锚栓剪力设计值；

$V_{Rd,s}$——锚栓钢材破坏受剪承载力设计值。

对于群锚，应分别用 N_{sd}^h、V_{sd}^h 代替 N_{sd} 和 V_{sd} 进行计算，当 N_{sd}^h、V_{sd}^h 为群锚中不同锚栓时，群锚中所有的锚栓均应计算。

5.3.2 弹性设计时，拉剪复合受力下混凝土破坏时的承载力，应按下列公式验算：

$$\left(\frac{N_{sd}}{N_{Rd,c}}\right)^{1.5}+\left(\frac{V_{sd}}{V_{Rd,c}}\right)^{1.5}\leqslant 1 \tag{5.3.2-1}$$

$$N_{Rd,c}=N_{Rk,c}/\gamma_{Rc,N} \tag{5.3.2-2}$$

$$V_{Rd,c}=V_{Rk,c}/\gamma_{Rc,V} \tag{5.3.2-3}$$

式中：N_{sd}——锚栓拉力设计值；

$N_{Rd,c}$——混凝土破坏受拉承载力设计值；

V_{sd}——锚栓剪力设计值；

$V_{Rd,c}$——混凝土破坏受剪承载力设计值。

6 构造措施

6.0.1 混凝土基材的厚度 h 应符合下列规定：

1 对于普通自攻型锚栓：$h \geqslant 1.5h_{ef}$，且 $h \geqslant 100mm$；

2 对于注胶自攻型锚栓：$h \geqslant h_{ef} + 2d_0$ 且 $h \geqslant 100mm$，其中 h_{ef} 为锚栓的有效埋置深度，d_0 为锚孔直径。

6.0.2 群锚锚栓最小间距值 s_{min} 和最小边距值 c_{min}，应由厂家通过国家授权的检测机构检验分析后给定，否则不应小于下列数值：

1 普通自攻型锚栓：$s_{min} \geqslant 8d$，$c_{min} \geqslant 10d$；

2 注胶自攻型锚栓：$s_{min} \geqslant 10d$，$c_{min} \geqslant 12d$；

其中 d 为锚栓螺杆公称直径。

6.0.3 普通自攻型锚栓与钢筋的连接可以采用焊接和机械连接方式，而注胶自攻型锚栓与钢筋的连接宜采用机械连接方式。机械连接方式应符合现行行业标准《钢筋机械连接技术规程》JGJ 107 的规定。

6.0.4 锚栓不得布置在混凝土的保护层中，有效锚固深度 h_{ef} 不得包括装饰层或抹灰层厚度。

6.0.5 一切外露的后锚固连接件，应考虑环境的腐蚀作用及火灾的不利影响，应有可靠的防腐、防火措施。

7 锚固施工及验收

7.1 一般规定

7.1.1 锚栓的类别和规格应符合设计要求，应有该产品制造商提供的产品合格证书和使用说明书，且应根据相关产品标准的有关规定进行施工和验收。

7.1.2 锚栓安装时，锚固区基材应符合下列规定：

1 表面应坚实、平整，不应有起砂、起壳、蜂窝、麻面、油污等影响锚固承载力的现象；

2 若设计无说明，对于注胶自攻型锚栓，在锚固深度的范围内应基本干燥。

7.1.3 锚栓安装方法及工具应满足该产品安装说明书的要求。

7.2 锚 孔

7.2.1 锚孔质量和锚孔直径应分别符合表7.2.1-1和表7.2.1-2的规定。

表7.2.1-1 锚孔质量的要求

类型	锚孔深度允许偏差（mm）	锚孔垂直度允许偏差（度）	锚孔位置允许偏差（mm）
普通自攻型锚栓	+10，−0	5	5
注胶自攻型锚栓	+20，−0	5	5

表7.2.1-2 自攻型锚栓的锚孔直径（mm）

规格	普通型打孔尺寸（mm）	注胶型打孔尺寸（mm）
M6	6.25	6.55
M8	8.25	8.55
M10	10.25	10.55

续表 7.2.1-2

规　　格	普通型打孔尺寸（mm）	注胶型打孔尺寸（mm）
M12	12.35	12.55
M14	14.35	14.55
M16	16.15	16.55
M20	20.15	20.55
M22	22.35	22.55
M24	24.35	24.55

注：锚孔允许偏差：±0.15mm。

7.2.2 锚孔深度应在照锚固深度的基础上加深15mm。

7.2.3 对于普通自攻型锚栓的锚孔，可采用压缩空气、吸尘器、手动气筒及专用毛刷等工具，清理孔内粉尘。锚孔清孔完成后，应量测锚孔孔深、孔径，合格后方可安装锚栓。若未立即安装锚栓，应暂时封闭其孔口，防止尘土、碎屑、油污和水分等落入孔内影响锚固质量。而对于注胶自攻型锚栓的锚孔，除满足上述要求外，尚应保证锚孔内无浮动灰尘、粉屑，产品有要求时尚应用工业丙酮清洗孔道，并保持孔道干燥。

7.2.4 自攻型锚栓的安装工艺及工具应符合产品使用说明书的要求，安装用电动或气动扳手的最大扭矩应满足表7.2.4的规定。

表7.2.4　自攻型锚栓的电动或气动扳手最大扭矩（N·m）

锚栓规格	电动或气动扳手扭矩
M6	≤30
M8	≤60
M10	≤150
M12	≤250
M14	≤300
M16	≤500

续表 7.2.4

锚 栓 规 格	电动或气动扳手扭矩
M18	≤600
M20	≤800
M22	≤800
M24	≤800

7.2.5 锚孔应避开受力主筋，临近锚固区的废弃锚孔应采用高强度无收缩水泥砂浆填充密实。

7.3 锚栓的安装与锚固

7.3.1 锚栓安装前，应彻底清除表面附着物、浮锈和油污。

7.3.2 普通自攻型锚栓的锚固应按钻孔、清孔、旋入螺栓、安装载荷(图 7.3.2)的步骤进行。

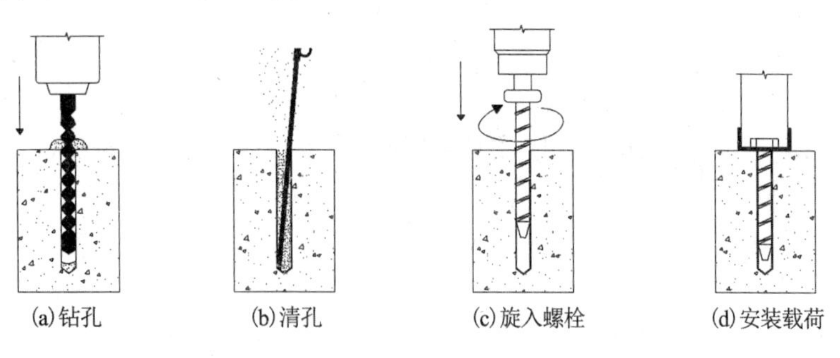

图 7.3.2 普通自攻型锚栓安装步骤

7.3.3 注胶自攻型锚栓的安装应按钻孔、清孔、注胶、旋入螺栓、等待硬化、安装载荷的步骤进行(图 7.3.3)，并根据锚固胶施用形态(管装式、机械注入式)和方向(向上、向下、水平)的不同采用相应的方法，向上和水平孔用胶应满足胶的垂流度要求(图 7.3.3)。注胶自攻型锚栓的焊接，应考虑焊接高温对胶的不良影响，采取有效的降温措施，离开基面的钢筋预留长度不应小于 $20d$，且不小于 200mm。

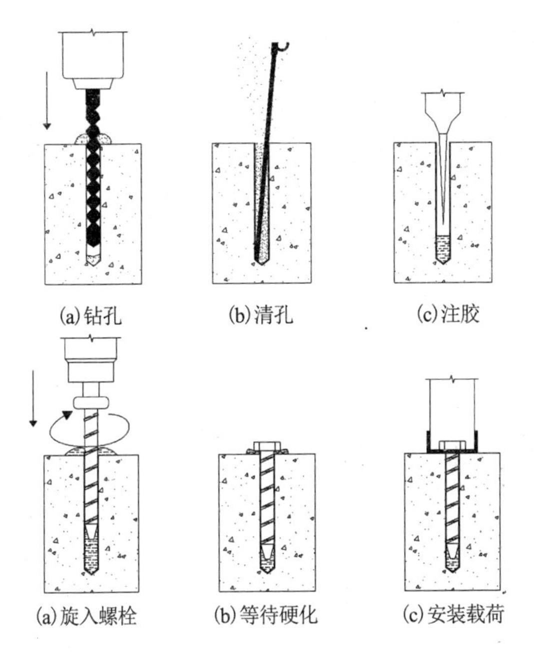

图 7.3.3　注胶自攻型锚栓安装步骤

7.3.4　注胶自攻型锚栓置入锚孔后，在固化完成之前，应按厂家所提供的养护条件进行固化养护，固化期间禁止扰动。

7.4　锚固质量检查与验收

7.4.1　锚固质量检查应包括下列内容：

1　文件资料检查；

2　检查锚栓、锚固胶的类别、规格符合设计和标准要求；

3　检查锚栓的位置符合设计要求；

4　检查基材混凝土强度符合设计要求；

5　锚孔质量检查；

6　锚固质量；

7　群锚纵横排列应符合要求，安装后的自攻型螺栓外观应整齐洁净；

8 按本规程附录B对自攻型锚栓的实际抗拔力进行抽样检验。

7.4.2 文件资料检查应包括：设计施工图纸及相关文件、锚固胶的出厂质量保证书（或实检证明，其中应有主要组成及性能指标、生产日期、产品标准号等）、锚杆的质量合格证书（含钢号、尺寸规格等）、施工工艺记录及操作规程和施工自检人员的检查结果等文件。

7.4.3 锚孔质量检查应包括下列内容：

1 锚孔的位置、直径、孔深和垂直度；

2 锚孔的清孔情况；

3 检查锚孔周围混凝土已基本干燥、不应存在缺陷、环境温度符合要求；

4 检查钻孔不应伤及钢筋。

7.4.4 锚固质量的检查应符合下列规定：

1 对于注胶型锚栓应对照施工图检查植筋位置、尺寸、垂直（水平）度及胶浆外观固化情况等；用铁钉刻划检查胶浆固化程度，以手拔摇方式初步检验被连接件应锚牢锚实等；

2 未注胶型锚栓应按设计或产品安装说明书的要求检查锚固深度、预紧力控制等。

7.4.5 锚固工程验收，应提供下列文件和记录：

1 锚固工程设计文件；

2 锚栓的质量合格证书、产品安装（使用）说明书和进场后的复验报告；

3 锚固安装工程施工记录；

4 锚固工程质量检查记录；

5 锚栓抗拔力现场抽检报告；

6 分项工程质量评定记录；

7 工程重大问题处理记录；

8 竣工图及其他有关文件记录。

附录A　锚栓连接受力分析方法

A.1　锚栓拉力作用值计算

A.1.1　锚栓受拉力作用(图A.1.1-1及图A.1.1-2)时,其受力分析应遵守下列基本假定:

1　锚板应具有足够的刚度,其弯曲变形可忽略不计;

2　同一锚板的各锚栓,应具有相同的刚度和弹性模量;其所承受的拉力,可按弹性分析方法确定;

3　处于锚板受压区的锚栓不承受压力,该压力应直接由锚板下的混凝土承担。

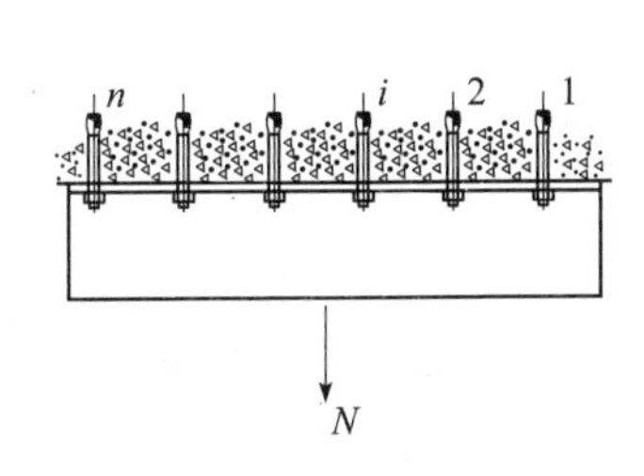

图A.1.1-1　轴向拉力作用

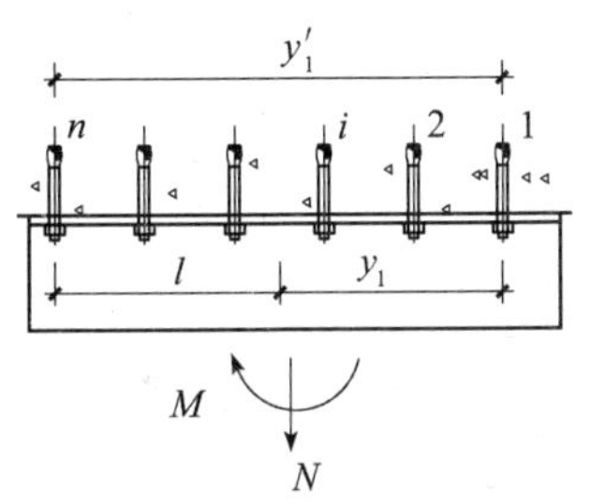

图A.1.1-2　拉力和弯矩共同作用

A.1.2　在轴向拉力与外力矩共同作用下,应按下列公式计算确定锚板中受力最大锚栓的拉力设计值 N_h:

1　当 $N/n-My_1/\sum y_i^2\geqslant 0$ 时,

$$N_h = N/n+My_1/\sum y_i^2 \quad (A.1.2\text{-}1)$$

2　当 $N/n-My_1/\sum y_i^2<0$ 时,

$$N_h = (M+Nl)y_1'/\sum(y_i')^2 \quad (A.1.2\text{-}2)$$

式中:N、M——分别为轴向拉力和弯矩的设计值;

y_1、y_i——锚栓1及 i 至群锚形心的距离;

y'_1、y'_i——锚栓 1 及 i 至最外排受压锚栓的距离；

l——轴力 N 至最外排受压锚栓的距离；

n——锚栓个数。

注：当外边距 $M=0$ 时，上式计算结果即为轴向拉力作用下每一锚栓所承受的拉力设计值 N_i。

A.2 锚栓剪力作用值计算

A.2.1 作用于锚板上的剪力和扭矩在群锚中的内力分配，可按下列三种情况计算：

1 当锚板孔径与锚栓直径符合表 A.2.1 的规定，且边距大于 $10h_{ef}$时，所有锚栓应均匀承受剪力（图 A.2.1-1）；

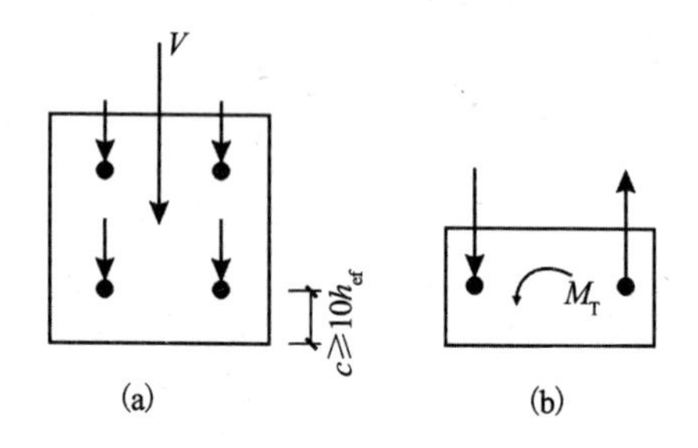

图 A.2.1-1 锚栓均匀受剪

2 当边距小于 $10h_{ef}$［图 A.2.1-2(a)］或锚板孔径大于表 A.2.1的规定值［图 A.2.1-2(b)］，只有部分锚栓（图中以黑色表示）承受剪力；

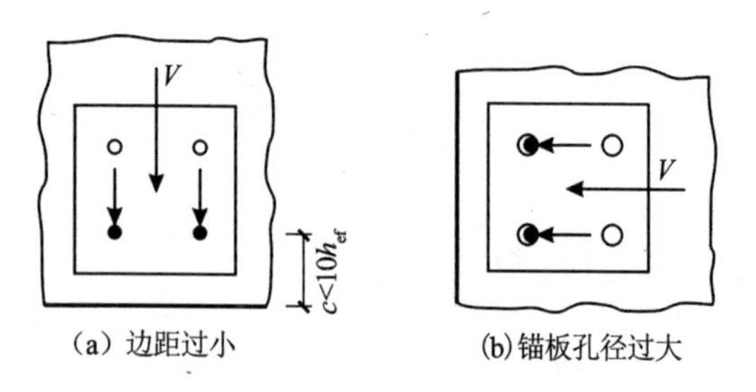

图 A.2.1-2 锚栓处于不利情况下受剪

3 为使靠近混凝土构件边缘锚栓不承受剪力，可在锚板相应位置沿剪力方向开椭圆形孔（图 A.2.1-3）。

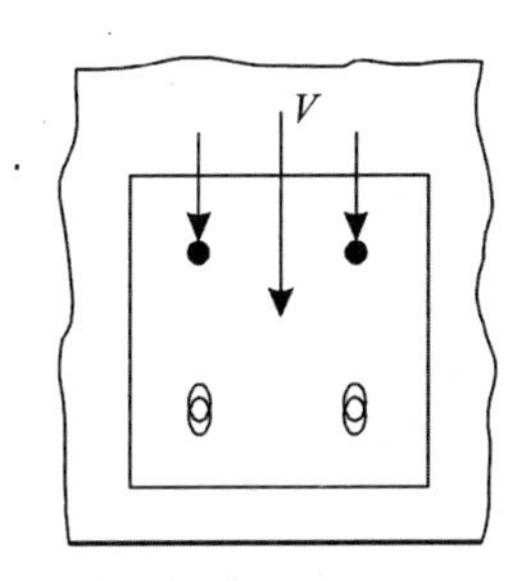

图 A.2.1-3 控制剪力分配方法

表 A.2.1 锚板孔径 (mm)

锚栓公称直径 d_0	6	8	10	12	14	16	18	20	22	24
锚板孔径 d_f	10	12	14	16	18	20	22	24	26	28

A.2.2 剪切荷载通过受剪锚栓形心（图 A.2.2）时，群锚中各受剪锚栓的受力应按下列公式确定：

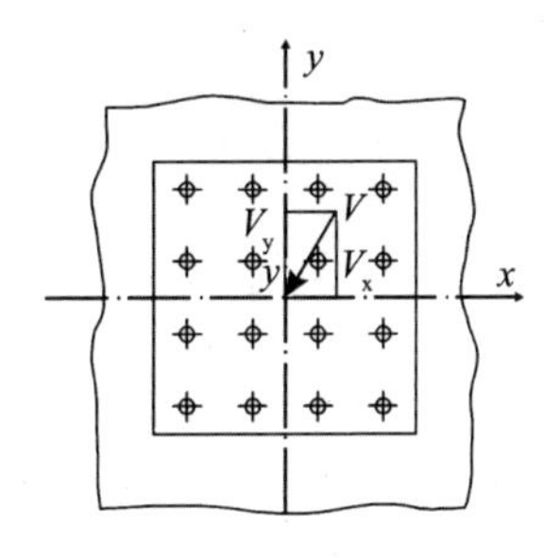

图 A.2.2 受剪力作用

$$V_i^V = \sqrt{(V_{ix}^V)^2 + (V_{iy}^V)^2} \tag{A.2.2-1}$$

$$V_{ix}^V = V_x / n_x \tag{A.2.2-2}$$

$$V_{iy}^V = V_y / n_y \tag{A.2.2-3}$$

式中：V_{ix}^V、V_{iy}^V——分别为锚栓 i 在 x 和 y 方向的剪力分量；

V_i^{V}——剪力设计值 V 作用下锚栓 i 的组合剪力设计值；

V_x、n_x——剪力设计值 V 的 x 分量及 x 方向参与受剪的锚栓数目；

V_y、n_y——剪力设计值 V 的 y 分量及 y 方向参与受剪的锚栓数目。

A.2.3 群锚在扭矩 T(图 A.2.3)作用下，各受剪锚栓的受力应按下列公式确定：

$$V_i^{T} = \sqrt{(V_{ix}^{T})^2 + (V_{iy}^{T})^2} \tag{A.2.3-1}$$

$$V_{ix}^{T} = \frac{Ty_i}{\sum x_i^2 + \sum y_i^2} \tag{A.2.3-2}$$

$$V_{iy}^{T} = \frac{Tx_i}{\sum x_i^2 + \sum y_i^2} \tag{A.2.3-3}$$

式中：T——外扭矩设计值；

V_{ix}^{T}、V_{iy}^{T}——T 作用下锚栓 i 所受剪力的 x 分量和 y 分量；

V_i^{T}——T 作用下锚栓 i 的剪力设计值；

x_i、y_i——锚栓 i 至以群锚形心为原点的坐标距离。

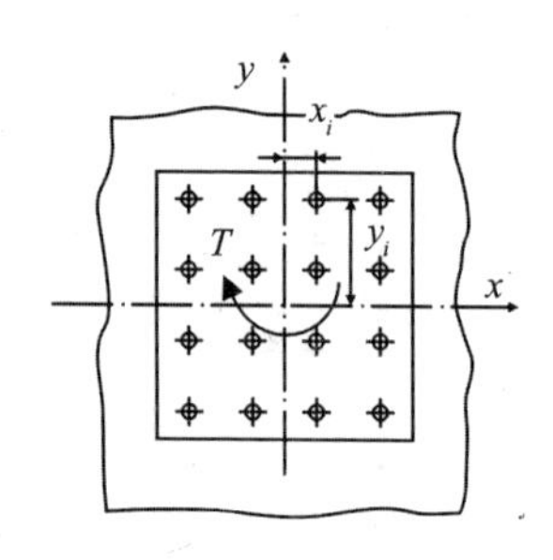

图 A.2.3 受扭矩作用

A.2.4 群锚在剪力和扭矩(图 A.2.4)共同作用下，各受剪锚栓的受力应按下式确定：

$$V_i^{g} = \sqrt{(V_{ix}^{V} + V_{ix}^{T})^2 + (V_{iy}^{V} + V_{iy}^{T})^2} \tag{A.2.4}$$

式中：V_i^{g}——群锚中锚栓所受组合剪力设计值。

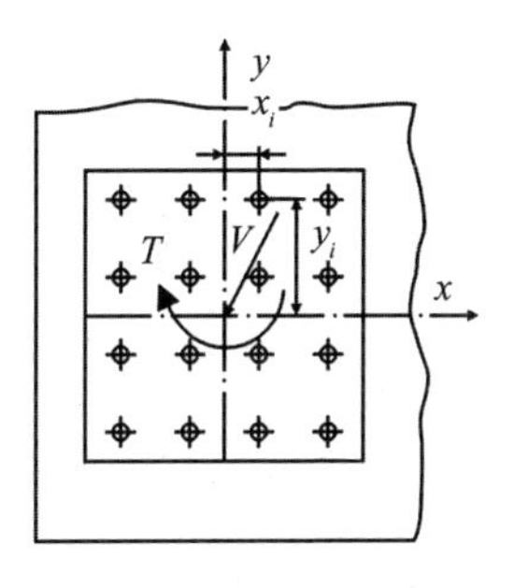

图 A.2.4　剪力与扭矩共同作用

附录B 自攻型锚栓性能的现场检验方法

B.1 适用范围及应用条件

B.1.1 本方法适用于自攻型锚栓性能的现场检验。

B.1.2 后锚固工程质量应按自攻型锚栓抗拔承载力的现场抽样检验结果进行评定。

B.1.3 后锚固件应进行抗拔承载力现场非破损检验，满足下列条件之一时，尚应进行破坏性检验：

1 安全等级为一级的后锚固构件；

2 悬挑结构和构件；

3 对该工程锚固质量有怀疑；

4 仲裁性检验。

B.1.4 受现场条件限制无法进行原位破坏性检验时，可在工程施工的同时，现场浇筑同条件的混凝土块体作为基材种植锚固件，并应按规定的时间进行破坏性检验，且应事先征得设计和监理单位的书面同意，并在场见证试验。

B.2 抽样规则

B.2.1 锚固质量现场检验抽样时，应以同品种、同规格、同强度等级的锚固件安装于锚固部位基本相同的同类构件为一检验批，并应从每一检验批所含的锚固件中进行抽样。

B.2.2 现场破坏性检验宜选择锚固区以外的同条件位置，应取每一检验批锚固件总数的0.1%，且不少于3件进行检验。锚固件为植筋且数量不超过100件时，可取3件进行检验。

B.2.3 现场非破损检验的抽样数量，应符合下列规定：

1　对重要结构构件应按表 B.2.3 规定的抽样数量对该检验批的锚栓进行检验；

表 B.2.3　重要结构构件锚栓锚固质量非破损检验抽样表

检验批的锚栓总数	≤100	500	1000	2500	≥5000
按检验批锚栓总数计算的最小抽样量	20%且不少于5件	10%	7%	4%	3%

注：当锚栓总数介于两栏数量之间时，可按线性内插法确定抽样数量。

2　对一般结构构件，应取重要结构构件抽样量的 50%，且不少于 5 件进行检验；

3　对非结构构件，应取每一检验批锚固件总数的 0.1%，且不少于 5 件进行检验。

B.2.4　胶粘的锚固件，其检验宜在胶粘剂达到其产品说明书标示的固化时间的当天进行。若因故需推迟抽样与检验日期，除应征得监理单位同意外，推迟不应超过 3d。

B.3　仪器设备要求

B.3.1　现场检测用的加荷设备，可采用专门的拉拔仪，并应符合下列规定：

1　设备的加荷能力应比预计的检验荷载值至少大 20%，且不大于检验荷载的 2.5 倍，应能连续、平稳、速度可控地运行；

2　加载设备应能够按规定的速度加载，测力系统整机误差不应超过全量程的±2%；

3　设备的液压加荷系统持荷时间不超过 5min 时，其降荷值不应大于 5%；

4　加载设备应能够保证所施加的拉伸荷载始终与后锚固构件的轴线一致；

5　加载设备支撑环内径 D_0 应满足 $D_0 \geq 4h_{ef}$。

B.3.2　当委托方要求检测重要结构锚固件连接的荷载-位移曲线时，现场测量位移的装置应符合下列规定：

1 仪表的量程不应小于 50mm，其测量的误差不应超过±0.02mm；

2 测量位移装置应能与测力系统同步工作，连续记录，测出锚固件相对于混凝土表面的垂直位移，并绘制荷载-位移的全程曲线。

B.3.3 现场检验用的仪器设备应定期由法定计量检定机构进行检定。遇到下列情况之一时，还应重新检定：

1 读数出现异常；

2 拆卸检查或更换零部件后。

B.4 加载方式

B.4.1 检验锚固拉拔承载力的加载方式可为连续加载或分级加载，可根据实际条件选用。

B.4.2 进行非破损检验时，施加荷载应符合下列规定：

1 连续加载时，应以均匀速率在 2min～3min 时间内加载至设定的检验荷载，并持荷 2min；

2 分级加载时，应将设定的检验荷载均分为 10 级，每级持荷 1min，直至设定的检验荷载，并持荷 2min；

3 荷载检验值应取 $0.9f_{yk}A_s$ 和 $0.8N_{Rk,*}$ 的较小值。($N_{Rk,*}$ 为非钢材破坏承载力标准值，可按本规程第 5 章有关规定计算)。

B.4.3 进行破坏性检验时，施加荷载应符合下列规定：

1 连续加载时，对锚栓应以均匀速率在 2min～3min 时间内加荷至锚固破坏；

2 分级加载时，前 8 级，每级荷载增量应取为 $0.1N_u$，且每级持荷 1min～1.5min；自第 9 级起，每级荷载增量应取为 $0.05N_u$，且每级持荷 30s，直至锚固破坏。N_u 为计算的破坏荷载值。

B.5 检验结果评定

B.5.1 非破损检验的评定，应按下列规定进行；

1 试样在持荷期间，锚固件无滑移、基材混凝土无裂纹或其他局部损坏迹象出现，且加载装置的荷载示值在2min内无下降或下降幅度不超过5%的检验荷载时，应评定为合格；

2 一个检验批所抽取的试样全部合格时，该检验批应评定为合格检验批；

3 一个检验批中不合格的试样不超过5%时，应另抽3根试样进行破坏性检验，当检验结果全部合格，该检验批仍可评定为合格检验批；

4 一个检验批中不合格的试样超过5%时，该检验批应评定为不合格，且不应重做检验。

B.5.2 锚栓破坏性检验发生混凝土破坏，检验结果满足下列要求时，其锚固质量应评定为合格：

$$N_{Rm}^{c} \geqslant 3.5 N_{Rd,c} \quad \text{(B.5.2-1)}$$

$$N_{Rmm}^{c} \geqslant 0.85 N_{Rm}^{c} \quad \text{(B.5.2-2)}$$

式中：N_{Rm}^{c}——受检验锚固件极限抗拔力实测平均值；

N_{Rmin}^{c}——受检验锚固件极限抗拔力实测最小值；

$N_{Rd,c}$——混凝土锥体破坏受受拉承载力设计值，按本规程第5.1.3条计算。

B.5.3 锚栓破坏性检验发生钢材破坏，检验结果符合下列要求时，其锚固质量应评定为合格。

$$N_{Rm}^{c} \geqslant 1.65 N_{Rd,s} \quad \text{(B.5.3-1)}$$

$$N_{Rmm}^{c} \geqslant 0.85 N_{Rm}^{c} \quad \text{(B.5.3-2)}$$

其中：$N_{Rd,s}$——锚栓钢材破坏受拉承载力设计值，按本规程第5.1.2条计算。

B.5.4 当锚栓非破损检验结果不满足第B.5.1条锚栓破坏性检验结果不满足第B.5.2条和第B.5.3条的规定时，应判定该检验批后锚固连接不合格，并应会同有关部门依据检验结果，研究采取专门措施处理。

本规程用词说明

1　为便于在执行本规程条文时区别对待，对要求严格程度不同的用词说明如下：

1）表示很严格，非这样做不可的：
正面词采用“必须”，反面词采用“严禁”；

2）表示严格，在正常情况下均应这样做的：
正面词采用“应”，反面词采用“不应”或“不得”；

3）表示允许稍有选择，在条件许可时首先应这样做的：
正面词采用“宜”，反面词采用“不宜”；

4）表示有选择，在一定条件下可以这样做的，采用“可”。

2　条文中指明应按其他有关标准执行的写法为：“应符合……的规定”或“应按……执行”。

引用标准名录

《钢结构设计规范》GB 50017

《混凝土结构加固设计规范》GB 50367

《钢结构焊接规范》GB 50661

《工程结构加固材料安全性鉴定技术规范》GB 50728

《金属材料　弯曲试验方法》GB/T 232

《非合金钢及细晶粒钢焊条》GB/T 5117

《热强钢焊条》GB/T 5118

《紧固件机械性能　检查氢脆用预载荷试验　平行支承面法》GB/T 3098.17

《钢筋焊接及验收规程》JGJ 18

《钢筋机械连接技术规程》JGJ 107

《混凝土用膨胀型、扩底型锚栓》JG 160

中国工程建设协会标准

自攻型锚栓应用技术规程

CECS 400：2015

条文说明

目　　次

1 总　　则

1.0.1 由于现代建筑结构及功能要求的不断提高，混凝土后锚固技术在工程改扩建领域应用也越来越广泛。自攻型锚栓具有施工简便、使用灵活等优点，为安全可靠及经济合理的使用，正确有序地引导自攻型锚栓技术的应用，制定本规程。

1.0.2 后锚固连接的受力性能与基材的种类密切相关，目前国内外科研成果及使用经验集中在普通钢筋混凝土和预应力混凝土结构，砌体结构及轻骨料混凝土结构数据较少，而自攻型锚栓也是属于后锚固的一种，本着成熟可靠的原则，规定不适用于砌体结构及轻骨料混凝土结构基材。

3 材　　料

3.1 混凝土基材

3.1.1 本规程规定的自攻型锚栓应用包含结构构件和非结构构件，因此其混凝土基材可为钢筋混凝土、预应力混凝土和素混凝土。

3.1.2、3.1.3 混凝土作为后锚固连接的主体，必须坚固可靠，存在严重缺陷和混凝土等级较低的基材，锚固承载力较低，且很不可靠。基材混凝土强度大于 60N/mm^2 时，应用和研究较少，应慎重使用。

3.1.4 本条对混凝土结构的加固验算时的混凝土强度取值进行了明确的规定。混凝土强度已在该结构加固前可靠性鉴定中通过实测或验算予以确定。因此，在进行结构加固设计时，宜尽可能加以引用，这样不仅节约时间和费用，而且在被加固结构日后出现问题时，也便于分清责任。

3.2 锚栓材料

3.2.1 锚栓材质不同，对环境的耐受程度也不同。为保证后锚固连接的耐久性不低于基材，对锚栓的材质提出具体要求。

3.2.2 本条规定锚栓材质的性能等级为 7.8、8.8、9.8、10.9、12.9，如果性能等级太低，锚栓在安装过程中螺栓丝牙容易损坏。本条还对锚栓的延性指标提出要求，防止脆断。

另外，很多锚栓都是采用强度较低的钢材，但特殊热处理使其能容易锚固进入混凝土，与此同时，由于芯部钢材强度并不高，氢脆的风险也随之降低；但当钢材强度较高时（超过 1000MPa）就有很高的氢脆风险。

3.2.3 在混凝土结构加固工程中，一般对钢筋焊接较为熟悉，需要解释的问题很少；而对钢板、扁钢、型钢等的焊接，仍有很多设计人员对现行国家标准《钢结构设计规范》GB 50017 理解不深，以致在施工图中，对焊缝质量所提出的要求，往往与施工人员有争执。因此，在混凝土结构加固设计中，当涉及型钢和钢板焊接问题时，应先熟悉该规范的规定及其条文说明，将有助于做好钢材焊缝的设计。

3.2.4 自攻型锚栓的应用刚刚起步，材料的生产厂家很少，但自攻型锚栓与混凝土连接的可靠性与锚孔、锚栓丝牙外径等尺寸有着密切关系，本规程以目前已有系统试验数据的锚栓规格作为指导。另外，根据国家建筑材料测试中心检验，自攻型锚栓经 200 万次疲劳测试，抗拉承载力并无降低。

3.3 锚固用胶粘剂

3.3.1 一种胶粘剂能否用于承重结构，主要由其安全性能的综合评价决定；但同属承重结构胶粘剂，仍可按其主要性能的显著差别，划分为若干等级。本规程根据加固工程的实际需要，将室温固化型Ⅰ类结构胶划分为 A、B 两级，并按结构的重要性和受力的特点明确其适用范围。至于不饱和聚酯树脂（醇酸树脂），由于其耐潮湿、耐水和耐老化性能极差，因而不允许用作承重结构加固的胶粘剂。

3.3.2 为了确保使用粘接技术加固的结构安全，必须要求胶粘剂的粘接抗剪强度标准值应具有足够高的强度保证率及其实现概率（即置信水平）。具体要求与现行国家标准《混凝土结构加固设计规范》GB 50367 的规定相同。

3.3.3 胶粘剂在使用前应按现行国家标准《工程结构加固材料安全性鉴定技术规范》GB 50728 进行检验和鉴定。在确认其改性效果后才能保证其粘接的可靠性。

4 设计基本规定

4.0.1 为了使后锚固设计更经济合理，故规定后锚固连接设计采用的设计使用年限，应与新增的被连接结构的设计使用年限相同。

根据现行国家标准《混凝土结构加固设计规范》GB 50367 的规定，混凝土结构加固后的使用年限，应由业主和设计单位共同商定，宜按 30 年考虑。对于注胶型锚栓，不可避免地存在胶粘剂的老化问题，只是程度不同而已。为了防范此类隐患，宜加强检查或监测，但检查时间的间隔可由设计单位作出规定，第一次检查时间不应晚于 10 年。

4.0.2 后锚固连接破坏形态多样且复杂，相对于结构，失效概率较大，故另设安全等级。混凝土结构后锚固连接的安全等级分为二级。所谓重要的锚固，是指后接大梁、悬臂梁、桁架、网架，以及大偏心受压柱等结构构件及生命线工程中非结构构件之锚固连接，这些连接一旦锚固失效，破坏后果严重，故定位一级。一般的锚固，是指荷载较轻的中小型梁板结构，以及一般非结构构件的锚固连接，此种锚固连接失效，破坏后果远不如一级严重，故定位二级。锚固连接的安全等级宜与新增的被连接结构的安全等级相当或略高，即锚固设计的安全等级及取值，应取被连接结构和锚固连接二者中的较高值。

4.0.3、4.0.4 对于在地震区采用锚栓的限制性规定，是参照国外有关规程、指南、手册对锚栓适用范围的划分，经咨询专家和设计人员的意见后作出了较为稳健的规定，此规定与现行国家标准《混凝土结构加固设计规范》GB 50367 的规定一致。

4.0.5 对锚栓连接的计算之所以不考虑国外所谓的非开裂混凝土对锚栓承载力提高的作用，主要是因为它只有理论意义，无工程应用的实际价值；当判别不当还很容易影响结构的安全。

4.0.6 后锚固连接改变用途和使用环境将影响其安全可靠性和耐久性，因此必须经技术鉴定或设计许可。

4.0.7 锚固承载力设计表达式按现行国家标准《建筑结构可靠度设计统一标准》GB 50068 的规定采用，公式(4.0.7-1)左端的作用效应引入了锚固重要系数 γ_0，公式(4.0.7-1)右端的锚固承载力设计值 R_d 与一般设计规范不完全相同，按公式(4.0.7-2)确定，R_k 为锚固承载力标准值，γ_R 为锚固承载力分项系数，而非材料性能分项系数；锚固承载力标准值 R_k 系直接由锚固承载力试验统计平均值及离散系数确定，而非材料强度离散系数。

根据同济大学锚栓抗震试验研究，低周反复荷载作用下锚固承载力呈现一定的退化现象，其值随破坏形态、锚栓类型及受力性质而变，折减系数大约在 0.6～0.8 之间。

4.0.9 表 4.0.9 中的锚固承载力分项系数 γ_R 与现行国家标准《混凝土结构后锚固技术规程》JGJ 145 是一致的，主要参考欧洲标准《欧洲技术指南—混凝土用金属锚栓》ETAG 制定的，而对于非结构构件的锚固设计，γ_R 取值是与欧洲标准《欧洲技术指南—混凝土用金属锚栓》ETAG 相同。

4.0.10 本规程对基材混凝土的承载力验算，在破坏模式的考虑上与欧洲标准、美国 ACI 标准以及现行国家标准《混凝土结构加固设计规范》GB 50367 一致。

5 锚栓承载力计算

5.1 受拉承载力计算

5.1.1 后锚固连接受拉承载力应按钢材破坏、混凝土锥体受拉破坏、劈裂破坏等三种破坏类型，及单锚与群锚两种锚固连接方式，共计 6 种情况分别进行计算。对于单锚连接，外力与抗力比较明确，计算较为简单。对于群锚连接，情况较为复杂：当为钢材破坏时，破坏主要出现在某些受力最大锚栓，因此，一般只计算最大锚栓（N_{sd}^{h}）即可；当为混凝土锥体受拉破坏或混凝土劈裂破坏时，主要表现为群锚基材整体破坏，故取 N_{sd}^{g} 进行整体计算。

5.1.2 欧洲标准《欧洲技术指南—混凝土用金属锚栓》ETAG 及美国标准《房屋建筑混凝土结构规范》ACI 318 中，钢材破坏承载力计算均采用钢材极限抗拉强度标准值 f_{stk}，其承载力标准值有明确含义，而且可以作为锚栓破坏形态的判别标准。而我国现行国家标准《混凝土结构设计规范》GB 50010 及《混凝土结构加固设计规范》GB 50367 均采用的承载力设计值表达式用钢材屈服强度设计值 f_{yd} 表示，为保持与我国现行各类混凝土结构设计规范的协调，本规程采用屈服强度标准值 f_{yk} 进行钢材破坏时承载力标准值的计算。

5.1.3 单锚或群锚混凝土锥体受拉破坏是后锚固受拉破坏的最基本形式，受拉承载力标准值 $N_{Rk,c}$ 公式（5.1.3-2）包含单根锚栓在理想状态下的承载力标准值 $N_{Rk,c}^{0}$ 及计算面积 $A_{c,N}^{0}$、单锚或群锚实际破坏面积 $A_{c,N}$、边距影响 $\Psi_{s,N}$、钢筋剥离影响 $\Psi_{re,N}$、荷载偏心影响 $\Psi_{ec,N}$ 等项目，不考虑作用在受拉锚栓附近混凝土上的压力对锥体破坏受拉承载力的有利作用。

5.1.4 本条给出了单根锚栓在理想状态下的承载力标准值 $N_{Rk,c}^{0}$

的表达式，分别考虑普通自攻型锚栓和注胶自攻型锚栓两类，特别要注意的是：对于普通自攻型锚栓应考虑锚栓的有效锚固深度。

5.1.6 当群锚间距 s 大于 $s_{cr,N}$ 时，不会发生整体的锥体破坏，在计算时应按单锚独立发生锥体破坏计算受拉承载力。

5.1.7 锚栓受拉混凝土锥体破坏时，混凝土圆锥直径，从统计看基本上是固定的，对于机械锚栓，欧洲标准《欧洲技术指南—混凝土用金属锚栓》ETAG 认定为 $3h_{ef}$。当锚栓位于构件边缘，其距离 c 大于 $1.5f_{ef}$ 时，破坏就形成不了完整的圆锥体，相应的承载力就会降低。

5.1.8 基材适量配筋，总体上说对锚固性能是有利的；但配筋过多过密时，在混凝土锥体受拉破坏模式下，会因钢筋的隔离作用，而出现混凝土保护层首先剥离，从而降低了有效锚固深度 h_{ef}，系数 $\Psi_{re,N}$ 反映了这一影响。

5.2 受剪承载力计算

5.2.1 后锚固连接受剪承载力应按锚栓钢材破坏、混凝土剪撬破坏、混凝土边缘锲形体破坏等三种破坏类型，以及单锚与群锚两种锚固方式，共计 6 种情况分别进行计算。对于群锚连接，当为钢材破坏时，主要表现为最大锚栓的破坏，故取 V_{sd}^{h} 计算即可；当为混凝土剪撬破坏或混凝土边缘锲形体破坏时，则主要表现为群锚整体破坏，故取 V_{sd}^{g} 进行整体计算。

5.2.2 锚栓钢材受剪破坏分为纯剪和拉弯剪复合受力两种情况。对延性较低的硬钢群锚，因各锚栓应力分布不可能很均匀，故乘以 0.8 降低系数。对于有杠杆臂的受剪，因锚栓处在拉、弯、剪的复合受力状态，根据钢材破坏强度理论，拉弯破坏折算受剪承载力标准值 $V_{Rk,s}$ 可由公式(5.2.2-3)、公式(5.2.2-4)、公式(5.2.2-5)、公式(5.2.2-6)计算而得。其中所谓无约束，是指被连接锚板在受力过程中，既产生平移又发生转动，锚栓杆相当于悬臂杆；所谓完全约束，是指被连接件锚板在受力过程中只产生平移，不发生转动，故弯矩也较小。

5.2.3～5.2.13 构件边缘受剪混凝土锲形体破坏时的受剪承载力标准值计算公式，主要是参考欧洲标准《欧洲技术指南—混凝土用金属锚栓》ETAG 制定的，也与现行国家标准《混凝土结构后锚固技术规程》JGJ 145 完全相同。

6 构造措施

6.0.1、6.0.2 锚固基材厚度、群锚间距及边距等最小值规定，除避免锚栓安装时减少混凝土劈裂破坏的可能外，主要在于增强锚固连接基材破坏时的承载力和安全可靠性。

6.0.3 普通自攻型锚栓与钢筋的连接可采用焊接方式，但注胶自攻型锚栓与钢筋的连接应优先选用机械套筒连接方式。

6.0.4 作为基材锚固区的理想条件，混凝土应坚实可靠，且有适量配筋。建筑抹灰层及装饰层等，因结构疏松或粘结强度低，不得作为锚栓的锚固区。

7 锚固施工及验收

7.1 一般规定

7.1.1～7.1.3 条文基本上强调了三点，锚栓品质、基材性状及安装方法应符合设计要求和国家现行有关标准规定

7.2 锚 孔

7.2.1～7.2.5 尤其是普通自攻型锚栓，锚孔对锚固质量有着重大影响，本节对各类锚孔尺寸偏差、清孔要求、废孔处理等，做了具体规定。

7.3 锚栓的安装与锚固

7.3.1～7.3.4 规定普通自攻型锚栓的锚固应按产品说明书的规定进行；而对于注胶自攻型锚栓，根据现行国家标准《建筑结构加固工程施工质量验收规范》GB 50550 的规定，向上和水平孔用胶必须满足胶的垂流度要求。注胶型自攻型锚栓的焊接，应考虑焊接高温对胶的不良影响，采取有效的降温措施。

7.4 锚固质量检查与验收

7.4.1～7.4.5 锚固质量检查是确保锚固工程可靠性的重要环节，应重点检查锚固参数、基材质量、尺寸偏差、抗拔力；对于注胶型锚栓，尚应检查胶粘剂的性能。

需本标准可按如下地址索购：
地址：北京百万庄建设部　中国工程建设标准化协会
邮政编码：**100835**　　电话：**(010)88375610**

统一书号:1580242·735

定价:24.00 元

CECS 400：2015

中国工程建设协会标准

自攻型锚栓应用技术规程

Technical specification for screw anchor

中国计划出版社